Pisa Provincia
la Valle, il Monte, il Fiume, il Mare

Provincia di Pisa

Pisa PROVINCIA
la Valle, il Monte, il Fiume, il Mare

a cura di
Alessandro Canestrelli

PACINIeditore

© Copyright 2005 by Pacini Editore SpA

ISBN 88-7781-692-9

Realizzazione editoriale

PACINIeditore

Pacini Editore SpA
Via A. Gherardesca
56121 Ospedaletto (Pisa)

Product Management
Beatrice Cambi

Responsabile tecnico
Mauro Pucciani

Responsabile editoriale
Elena Tangheroni Amatori

Progetto grafico
Alessandro Perozzo

Fotolito e Stampa
Industrie Grafiche Pacini

Referenze fotografiche
Archivio Pacini Editore

Indice

Condensati in parole descrittive, quattro itinerari racchiudono l'essenza paesaggistica della parte superiore della Provincia. Partendo dalla *federiciana*, *tedesca* e *napoleonica* San Miniato, passando per Montopoli e Cascina, abbiamo voluto descrivere – grazie alle immagini realizzate dal fotografo Cesare Barzacchi negli anni '60 del Novecento – la Valle dell'Arno, fin dall'antichità crocevia delle civiltà etrusca e romana; Valle percorsa fin dall'Alto Medioevo e strategica fino ai giorni nostri.

Abbiamo preferito descrivere i paesi del Monte, la *turrita* Vicopisano, Buti che poggia sul declivio e non guarda il Mare, Calci, con le straordinarie immagini della Certosa coi suoi monastici abitatori, fino alla *termale* San Giuliano.

Le anse dell'Arno, fiume placido in apparenza, ci portano fino alla Tenuta di San Rossore, poi Bocca d'Arno, luogo di pittori e poeti, fino alla *shelleyana* Bocca di Serchio. E poi la Basilica, le tracce mistiche dell'arrivo di San Pietro, fino al Litorale con Marina e Tirrenia. Splendide le immagini da *boom* economico quando il Litorale era meta di un turismo elitario e di massa.

Le citazioni di grandi letterati, giornalisti, scrittori dal Cinquecento fino ad oggi, scelte per accompagnare questo viaggio fantastico attraverso il nostro territorio, illustrano la straordinaria importanza di tutto il patrimonio storico e artistico ed anche il suo straordinario valore umano: grande potenziale turistico e culturale, da dedicare ai nostri visitatori, ai nostri ospiti.

Andrea Pieroni
Presidente Provincia di Pisa

Al contrario del precedente "Volterra del Bello e dell'Antico", non siamo di fronte ad una raccolta monotematica e scientifica, ma ad una serie di fotografie ritrovate; foto straordinarie ma disorganiche che proprio in questa loro anarchia assumono ancor più il grande valore estetico che Cesare Barzacchi aveva voluto intendere e trasmettere. Questa raccolta occorreva razionalizzarla comunque e la migliore maniera è stata quella di raggrupparla in quattro grandi argomenti: la Valle, il Monte, il Fiume e il Mare. Ho avuto diversi ripensamenti: avrei potuto raccontare questa vasta parte del territorio pisano partendo dal mare: sarebbe stato oltremodo interessante ma ho preferito seguire l'Arno partendo da San Miniato, protettore dei teatranti e degli uomini di spettacolo per poi proseguire alla foce, seguendo le parole poetiche di D'Annunzio. Mi permetto infine di consigliare la lettura dei testi tratti da grandi pensatori, scrittori, artisti fino alle notazioni riportate da testi e autori meno noti ma efficaci, comunque, a trasmettere la grandiosa bellezza del paesaggio della provincia di Pisa.

Alessandro Canestrelli

la Valle

il Monte, il Fiume, il Mare

Qui in San Miniato, antica sede di "palatium" imperiale e
caposaldo delle strutture politico-amministrative tra il
"regnum", i domini pontifici e l'Italia settentrionale
percorsa da inarrestabili tentazioni comunali, nel 1223
compare per la prima volta in Toscana il termine cassaro o
cassero dal musulmano "kasr". È in questa fase che San
Miniato riceve la più decisiva impronta urbanistica:
l'antica contrapposizione tra il "castrum", borgo
comunale, e l'incastellatura "superior", sede del legato
imperiale, esplode nel 1240 quando Federico (…) ordina
l'abbattimento di tutte le torri del "castrum", il
rafforzamento del cassero o "incastellatura" e dispone un
progetto unitario di collegamenti delle strutture difensive
periferiche e centrali.

M.L. Testi Cristiani
Federico II, immagini e potere
Venezia 1995

All'estremità occidentale del piano empolese, sopra il
vertice ondulato di un poggio che a guisa di sprone si
protende verso la valle dell'Arno, distende la lunga linea
dei suoi edifici la città di San Miniato, alternativamente
chiamata "al Tedesco" e "al Fiorentino", capoluogo di un
vasto circondario nella provincia di Firenze. La lunga e
irregolare distesa delle sue case biancheggianti, interrotta
di tanto in tanto dalla massa grandiosa di chiese e di
palagi, coronata di torri e campanili, segue la sinuosità del
monte e a chi la guarda da lontano dà l'idea che San
Miniato sia un'ampia e popolosa città.

Guido Carocci
Il Valdarno, da Firenze al mare
Bergamo 1906

Poi il tempo fece giustizia e fu buona ventura per questi
ultimi (i sanminiatesi, NdC) accorgersi che quel loro
santo, anche per la passionaccia di calcare la scena e per la
sua vocazione drammatica, sarebbe stato un protettore di
tutto riguardo. Pazienza se per arrivare a questo epilogo
andarono consumati quasi due secoli. Ma quando la
sudditanza fu accettata, il rispetto fu franco, profondo,
intenso. Lirica o tragica, satirica o melodrammatica la linfa
della passione scenica passò copiosa e frequente per i
rivoli della città, in mezzo a questi cittadini.

Antonio Gamucci
San Miniato, La Festa del Teatro
1971

la Valle. San Miniato
Arco di via Conti

Federigo Barbarossa e poi Federico II dimorarono
lungamente nella loro rocca, esercitarono di lassù
l'autorità loro, tentarono di raccogliere e di animare le
forze del partito ghibellino; ma la marea guelfa incalzava
senza tregua e nello stesso castello di San Miniato
s'accendevano di continuo le contese più violente fra i
partigiani delle due opposte fazioni. Il potere imperiale
scomparve travolto dall'irruenza della parte guelfa ed i
Fiorentini, profittando delle discordie intestine che
agitavano senza tregua l'ultimo propugnacolo dell'autorità
degl'Imperatori, strinsero d'assedio il castello, lo
espugnarono e nel 1369 lo aggregarono senz'altro al
territorio della loro potente repubblica.

Guido Carocci
Il Valdarno, da Firenze al Mare
Bergamo 1906

17

La cattedrale, edificata nel così detto "Prato del Duomo",
fu costruita tra il 1220 e il 1250 su una preesistente chiesa
di epoca longobarda, di cui restano alcuni elementi
scultorei intenzionalmente inseriti nella facciata in cotto
per ravvivarne il monocromatismo, effetto raggiunto
grazie anche all'inserimento di bacini ceramici policromi,
di produzione pisana (XIII secolo). Dal 1378 per quasi
un secolo l'edificio rimase chiuso al culto, cosicché delle
opere esistenti allora rimane solo un'acquasantiera
ottagonale.

Chiara Silla e Valentino Baldacci (a cura di)
Toscana, I luoghi della fede
Milano 1997-2000

Pier delle Vigne fu arrestato senza preavviso a Cremona, agli inizi del 1249, (…) il cancelliere venne tradotto a borgo San Donnino, l'attuale Fidenza, e di qui alla fortezza imperiale di San Miniato in Toscana. Sottoposto a giudizio, fu riconosciuto colpevole di malversazione e in conseguenza accecato. Era troppo per l'ex-ministro che si suicidò fracassandosi il cranio contro un pilastro di pietra cui era incatenato. Dante ne commemora l'estremo gesto con parole pregnanti:

"L'animo mio, per disdegnoso gusto,
credendo con morir fuggir disdegno,
ingiusto fece me contro me giusto"

David Abulafia
Federico II, un imperatore medievale
Torino 2000

21

La chiesa del Santissimo Crocifisso fu realizzata per
volere del vescovo Poggi tra il 1706 e il 1718, su progetto
dell'architetto Antonio Maria Ferri, per custodire un
crocifisso ligneo del XIII secolo ritenuto miracoloso.
L'edificio a croce greca, sormontata da cupola su
tamburo, sorge nello spazio compreso tra la Rocca, il
Duomo e il Municipio, cui la chiesa è collegata attraverso
una scenografica scalinata (…) Sull'altare maggiore,
compreso in un dipinto su tavola raffigurante Cristo
risorto, si trova il tabernacolo in cui viene custodito il
crocifisso.

Chiara Silla e Valentino Baldacci (a cura di)
Toscana, I luoghi della fede
Milano 1997-2000

La presenza della comunità francescana a San Miniato è legata ad una sosta di san Francesco, nel 1211. Il primo nucleo del grande complesso in laterizi viene costruito nel 1276, come ampliamento di un antico oratorio di epoca longobarda dedicato a san Miniato, ma già a partire dal 1343 si aggiungono nuovi ambienti. In tale occasione si alza la chiesa, si erigono le cappelle nella zona del presbiterio e si decorano le pareti con affreschi, oggi perduti.

Chiara Silla e Valentino Baldacci (a cura di)
Toscana, I luoghi della fede
Milano 1997-2000

26

Seguitando la linea dei colli, che con leggiadra
ondulazione seguono paralleli il corso dell'Arno, si trova
Montopoli, graziosa e ridente terra che si distende ai piedi
di una piccola collinetta sulla quale s'innalza la torre
dell'orologio, avanzo della potente rocca che fin dal tempo
remoto, in cui dominavano questi luoghi i Vescovi di
Lucca, stette a guardia e difesa de' popoli vicini.

Guido Carocci
Il Valdarno, da Firenze al mare
Bergamo 1906

27

La Repubblica Fiorentina accrebbe straordinariamente le
fortificazioni di Montopoli che rappresentava come un
punto avanzato all'estremità del suo territorio e per mezzo
di un arco arditissimo che passa al disopra del Borgo
Vecchio, collegò la rocca alle nuove mura castellane. Un
incendio desolò il paese, arse la rocca fece cader parte
delle mura ed oggi del grandioso fortilizio non rimangono
che la torre isolata e l'arco pittoresco.

Guido Carocci
Il Valdarno, da Firenze al mare
Bergamo 1906

29

Vengono esposte le terrecotte (piatti e vasi) più
significative dell'antica produzione Milani (Luigi Adriano
Milani archeologo e numismatico 1854-1914), ed è
predisposta una mostra sulle procedure di fabbricazione
delle ceramiche con esempi di semilavorati e pannelli
descrittivi.

Museo Civico "Palazzo Guicciardini" - Montopoli
in *Guida ai Musei della Provincia di Pisa*
Firenze s.d.

Pare già esistesse nel secolo VIII, divenne pieve nel IX. E se pure la bella facciata sia da giudicare posteriore appartiene tuttavia al più antico stile pisano. Sul fianco sud è incisa la scritta: "Frederic II, Rex Sicilie". L'interno è assai bello, sebbene alterato per non bene intesi restauri. Tre navate, divise con archi tondi; bellissime alcune colonne; variati e degni di nota i capitelli. Altar Maggiore barocco, in ricchi marmi.

Augusto Bellini-Pietri
Guida di Pisa, in *Pisa come pisano*
di Fernando Vallerini, Pisa 1972

la Valle. Cascina
Benedetto da Maiano, *Madonna col Bambino* (part.), Pieve

Altro notevole scultore è anche Benedetto da Maiano che continua la tendenza plastica di Bernardo Rossellino, come è nel tabernacolo della badia di Arezzo, ma ha una sua vena vigorosa e ben equilibrata anche in opere dalla solida struttura come il pulpito di S. Croce o l'altare di S. Fina nella Collegiata di san Gimignano. Ma mostra anche le sue profonde capacità ispettive nei numerosi ritratti che ci ha lasciato (…)

Arte in Toscana
vol. II, Milano 1983

35

Un altro insigne monumento sorge poco lungi di qui in
mezzo alla pianura; è la celebre Badia di San Savino che
s'innalza imponente sopra ad un'altura artificiale. Nel 780
si ha ricordo che essa venne fondata da tre nobili fratelli
pisani; ma, danneggiata dalle inondazioni dell'Arno, fu
rifatta in luogo più adatto e convenientemente sollevata
dal livello della pianura nel XII secolo. Prima dei
Benedettini, poi dei Camaldolesi nel 1175, fu ricchissima
di beni di suolo, di opifici, di mulini e questa sua
ricchezza le fece subire la sorte comune alla maggior parte
delle opulenti abbazie: quella di esser ridotta a commenda
e destinata a saziare l'avidità di cardinali e di prelati
benaffetti che in ogni modo ne sfruttarono le rendite.

Alessandro Da Morrona
Pisa illustrata nelle arti del disegno
Livorno 1812

Una delle più belle chiese del primitivo stile pisano.
Sull'architrave della centrale, è figurata a bassorilievo la
resurrezione di Lazzaro e l'entrata in Gerusalemme; su
quello di sinistra sono animali favolosi ed una iscrizione
dice che nel 1180 "hoc opus quod cernis Biduinus docte
peregit"; sull'architrave di destra, grifi e mostri. Sulla
lunetta sopra la porta principale, piccola testa umana.

Augusto Bellini-Pietri
Guida di Pisa, in *Pisa come pisano*
di Fernando Vallerini, Pisa 1972

il Monte

CAPRONA nel Val d'Arno pisano, - chiesa plebana
(S. Giulia).

Trovasi sulla riva destra dell'Arno, presso la borgata del
Ponte di Zambra ed il magnifico Ponte Nuovo ivi
costruito sull'Arno, quasi alle falde occidentali del Monte
della Verruca.

Non esistono più ruderi di quella rocca che Dante
rammentò con i fanti che nel 1289:

"Uscivan patteggiati di Caprona"

Avvegnachè quel fortilizio fu atterrato per ordine del
governo fiorentino nell'anno 1433.

Emanuele Repetti
Dizionario Corografico della Toscana
1855

Vico Pisano, al quale si giunge rapidamente da Pontedera, dopo aver traversato il lungo borgo di Calcinaja, è uno dei luoghi più interessanti della regione toscana, non tanto per la giacitura sua felicissima, quanto per i grandiosi avanzi delle sue fortificazioni, degne di essere additate come uno degli esempi più completi e più perfetti dell'architettura militare del XIV e XV secolo.

Del XIV secolo era la vecchia rocca pisana sulla punta superiore del colle, ma poi nel secolo seguente fu, insieme al castello, munita di nuove mura e di una quantità di torri e di bastioni collegati fra loro per mezzo di un comodo ballatojo.

Guido Carocci
Il Valdarno, da Firenze al mare
Bergamo 1906

43

Il castello e terra di Vico Pisano ricinto ovunque da mura, con quattro porte, una detta Lucchese verso Buti, l'altra al ponte detta porta Fiorentina, altra a ponente detta Pisana dalla quale s'entrava nel borgo maggiore, ed altra di mezzo ossia del castello, fra l'attuale palazzo comunale (…), con altre due porte serrate fino da gran tempo, ed una porticina segreta sul così detto fosso. In cima al castello esiste una bellissima rocca con muro traverso ed altre due torri, il qual muro dà accesso a tutte le mura del castello. La rocca, il muro traverso e le altre due torri sono disegno del famoso architetto Brunellesco.

Eugenio Boncinelli
Storia di Vico Auserissola (Vicopisano) e suo distretto
Venezia 1886

Il Baroni in altra parte dice "Il paese ossia terra di Vico
Pisano faceva novemila anime compreso il contado e non
compreso il forte presidio che vi stava sempre. Aveva dei
borghi al di dentro, uno detto Maggiore e l'altro
Maccione. Al di fuori vi erano dei sobborghi, uno fuori
della porta lucchese verso Buti denominato il borgo dei
Magnani in cima al quale vi era il brillatojo, conservando
sempre il terreno ove era un tal nome".

Eugenio Boncinelli
Storia di Vico Auserissola (Vicopisano) e suo distretto
Venezia 1886

Pisa Provincia
Torri medievali

Le fortificazioni di Vico Pisano sono un documento parlante, un monumento della competenza profonda che in simil genere di costruzioni possedeva uno de' più grandi artisti del rinascimento, Filippo di Brunellesco, al quale la Repubblica Fiorentina affidò l'incarico di assicurarle, con ogni mezzo che fosse a sua conoscenza, il possesso del castello conquistato. Oltre alle mura, alla rocca, alle torri, alle porte, Vico Pisano possiede un palazzetto pretorio che ricorda la struttura originaria del XIV secolo ed un'ampia e bella Pieve di carattere simile a quello di molte importanti chiese del territorio pisano, sorte neI XI e XII secolo.

Guido Carocci
Il Valdarno, da Firenze al mare
Bergamo 1906

Ben si scorge tuttora che il poggio fu pieno di torri, ed alla
sua base cinto tutto quanto da mura di difesa, e di tratto
in tratto da torri militarmente disposte con quattro porte
principali; e qui giova riportare le seguenti preziose
notizie date dal Baroni e confermate in gran parte dalla
tradizione che si raccoglie dai vecchi del paese e dai
ruderi che tuttora si rinvengono in gran copia.

Eugenio Boncinelli
Storia di Vico Auserissola (Vicopisano) e suo distretto
Venezia 1886

La pieve, ricordata fin dal 934, è costruita interamente in
verrucano, la pietra locale più adottata durante il
Medioevo a Pisa e nel contado. La facciata è spartita in
due ordini sovrapposti, dei quali quello inferiore è
suddiviso in tre zone da semicolonne che sostengono
doppie archeggiature cieche; nella sezione superiore una
bifora è inquadrata da una serie di archetti pensili sotto gli
spioventi, che ritornano anche lungo il fianco sinistro e
nel giro dell'abside; ancora, nel paramento del fianco
sinistro, si osservino le epigrafi che indicano antichi
sepolcri medievali.

Chiara Silla e Valentino Baldacci (a cura di)
Toscana, I Luoghi della fede
Milano 1997-2000

53

Costruita nell'800 sugli avanzi di una più antica torre, si è
salvata dalla distruzione causata dalle cave e, posta com'è
su un precipizio artificiale, arricchisce il paesaggio come
elemento di grande suggestione. Della torre medievale
restano i fondamenti e uno spezzone di muro che dalla
tecnica costruttiva è databile fra XIII e XIV secolo (…)

Giovanni Ranieri Fascetti
Il Monte Pisano, Storia del territorio
Pisa 1997

Esaminando i muri esterni, si vede che la fabbrica di questa pieve fu ristaurata in più tempi, che assai più estesa da prima e comprendente tre corpi, danneggiata da guerresche vicende e dall'Arno, fu riattata solo in parte e in parte demolita. Così pure chiaramente apparisce che era a tre navate e che il presente suo fianco destro servì in antico per sua crociata, e ridotto poi al solo uso di campanile serve oggidì sì per l'uno che per l'altro uffizio. Fu tempo in cui la giurisdizione della pieve di S. Giulia si estendeva fino quasi alle porte di Pisa. Al presente la sua popolazione ascende, secondo gli ultimi registri, a 580 anime.

Eugenio Boncinelli
Storia di Vico Auserissola (Vicopisano) e suo distretto
Venezia 1886

La base meridionale del poggio della Verruca si spinge
quasi a picco fino al fiume, lasciando appena adito alla
strada che ne collega i paesi situati sulla riva destra. A piè
delle balze, formate di gigantesche rupi, dalle quali si cava
quella qualità di pietra arenaria chiamata verrucano, è il
villaggio d'Uliveto, al quale han dato modernamente
importanza le terme cui convengono annualmente
numerosi bagnanti a fruire dei benefizi di abbondanti
acque minerali e termali che sgorgano dalle viscere del
monte.

Guido Carocci
Il Valdarno, da Firenze al mare
Bergamo 1906

59

Girando per il paese si leggono due iscrizioni, una è scolpita sopra bianco marmo ed affissa in una modesta casa situata nell'antica via della Pieve, ora chiamata via Francesco di Bartolo, ed è del seguente tenore:

MCCCXXIV

"Tre anni dopo la morte di
Dante Alighieri
in questa casa nacque
Francesco di Bartolo
il primo che in italiano
commentasse la Divina Commedia"

Eugenio Boncinelli
Storia di Vico Auserissola (Vicopisano) e suo distretto
Venezia 1886

Sono pochi gli strumenti e molta l'abilità che servono per la lavorazione del castagno e per la trasformazione delle strisce di castagno (le coschie, per i butesi) in funzionali e ornamentali cestini.

Il visitatore che viene a Buti potrà facilmente scorgere nei fondi delle case intere famiglie impegnate a produrre cestini. (…) Questa attività caratteristica, che ha in sé qualcosa di artistico, rappresenta nel paese poco più di un secondo lavoro ed è un peccato che rischi di andar perso questo patrimonio di esperienza e maestria.

Chi siamo, Pisa
"Il Tirreno", s.d.

Cose da vedere:

l'austera Villa Arganini, dall'alto del colle di Badia
domina l'intera vallata, nasconde, al suo interno, una
meravigliosa opera d'arte di grande valore. Si tratta di una
statua raffigurante la Resurrezione del Cristo, opera di
Giovanni Dupré, il famoso scultore (Siena 1817 - Firenze
1882, NdC) che eseguì il lavoro verso il 1870 per
Ferdianando Filippi, un signore del luogo che aveva fatto
edificare la propria villa sulle rovine della vecchia Badia di
Cintoia.

Chi siamo, Pisa,
"Il Tirreno", s.d.

Da Caprona comincia la Valle di Calci, in antico chiamata
Valle Buja, più tardi, in omaggio alle sue naturali bellezze,
ribattezzata col nome di Valle Graziosa. E più che graziosa
veramente stupenda questa valle, che dalle pendici del
Monte Pisano scende e si apre di prospetto a Pisa ed al
mare, presentando il gajo spettacolo dei suoi inargentati
oliveti, in mezzo ai quali spiccano ville eleganti e
innumerevoli abitazioni. Il torrente Zambra scorre nel
Centro della valle e colle sue acque alimenta numerosi
mulini che Costituirono un giorno la più fiorente
industria di questi luoghi.

Eugenio Boncinelli
Storia di Vico Auserissola (Vicopisano) e suo distretto
Venezia 1886

Sulla dritta della mentovata Certosa, Calci risiede, delizio
castello, della cui principal chiesa si vuol qui
concisamente ragionare. L'architettura sua se nel vederla
mal non m'apposi, all'XI seco1o appella. Pietre quadre
marmi bianchi, e turchini sono la materia ch'esternamente
il nostro Tempio compongono. Egli è a tre navi
internamente. Le colonne che le dividono sono di quel
granito di minuta grana, che col titolo di granitella si
distingue; antichi, e per lo più corintj sono i capitelli; gli
archi rotondi. La varietà nelle indicate parti
architettoniche anche in questa Chiesa non manca; ma di
questa, di certi avanzi di colonne di marmo posti sulla
piazza, del campanile di pietre quadre composto, e della
testa di un Giove Ammone quivi incassata noi a miglior
uopo già ragionammo.

Alessandro Da Morrona
Pisa illustrata nelle arti del disegno
Livorno 1812

Abbiam pure a suo luogo fatta parola della pila di marmo cenericcio quasi un bardiglio slavato, che serve di conserva all'acqua battesimale. Or additeremo soltanto ch'essa nella sua fronte è da sei colonnine scompartita, che i capitelli sono di variata scultura, e che uno bizzarramente porta per caulicoli quattro teste di montoni. Figure sacre son situate nelle nicchie, e sono il Nazzareno, S. Giovanni, la Madonna, e due Angioli. Mezze figure angeliche ornano il peduccio d'ogni arcata. Sullo stile rozzo corregga il vero Antiquario il mio pensiero ove acconciamente ne scrissi.

Alessandro Da Morrona
Pisa illustrata nelle arti del disegno
Livorno 1812

Più importante però è la Certosa di Calci, comunemente chiamata la Certosa di Pisa. L'origine di essa data dal 1366, anno in cui, col lascito di un ricco negoziante d'origine armena e con molte altre offerte di cospicue famiglie, fra le quali i Gambacorti, si pose mano alla costruzione della parte primitiva dell'edifizio. Poco dopo, colle cospicue rendite venute in possesso de' monaci e colle offerte continue dei devoti, si aggiunse il vastissimo chiostro, che, attorniato da numerose casette destinate a dimora dei monaci romiti, costituisce la parte principale, più artisticamente pregevole e più caratteristica del vecchio monastero.

Guido Carocci
Il Valdarno, da Firenze al mare
Bergamo 1906

Ma se si toglie questa parte che appare più leggiadra e più singolare per l'effetto che producono i bianchi marmi dei lunghi colonnati che si staccano dal fondo degli uliveti circostanti, il resto si allontana totalmente dal carattere severo proprio delle antiche Certose. Le aggiunte e le trasformazioni fatte all'edifizio nel XVII e nel XVIII secolo, se valsero a renderlo quasi pari in grandezza alla Certosa di Pavia, gli tolsero ogni traccia di quell'aspetto umile e devoto che conviene all'indole di questi edifizi.

Guido Carocci
Il Valdarno, da Firenze al mare
Bergamo 1906

Il suo prospetto grandissimo esuberante di decorazioni
marmoree di un gusto esageratamente barocco, l'ampio
scalone a più rampe che dà accesso alla chiesa, le sale
interne sfarzosamente decorate, gli ampi corridoi, le scale
comodissime, le logge e le terrazze ampie, più che
l'aspetto di un edifizio monastico presentano quello di un
palazzo signorile, per non dire di una reggia. Fu
l'architetto milanese Carlo Zola che ridusse in tal guisa la
vecchia Certosa, mentre artisti chiamati dai monaci da
ogni parte d'Italia profondevano a dovizia gli ornamenti e
le decorazioni nella chiesa e nel monastero.

Guido Carocci
Il Valdarno, da Firenze al mare
Bergamo 1906

Un vasto claustro circondato da colonne di marmo serve di accesso alle diverse celle o casette isolate di quei cenobiti, ed egualmente magnifica è la chiesa interna divisa in tre corpi con vaga facciata fiancheggiata da due grandiose ale e adorna di una spaziosa gradinata di marmi.

Ad oggetto di conservare un edifizio così grandioso e che può dirsi secondo dopo la gran Certosa di Pavia, il granduca Ferdinando III, di sempre grata rimembranza, nel 1814 comandò che si ripristinassero i Certosini tanto in questa come nella Certosa presso Firenze.

Emanuele Repetti
Dizionario Corografico della Toscana
1855

Nel rilievo marmoreo a ornamento della vasca del chiostro grande, gli attributi divini e umani di san Giovanni e di san Gorgonio sono tenuti uniti da una corona che preannuncia la vita immortale e simboleggia il potere sul mondo di coloro che sono stati eletti da Dio (…)
L'insieme della figurazione plastica della vasca, che si sviluppa in ritmo ternario, riproduce le figure della visione tetramorfica di san Giovanni: quattro aquile sormontano la balaustra della tazza inferiore, quattro teste taurine coronano il fonte mediano inferiore, mentre quattro pesci sul genere dei tetrodonti hanno la funzione di raccordare le tazze tra loro.

Maria Adriana Giusti e Maria Teresa Lazzarini
La Certosa di Pisa a Calci
Pisa 1995

La Certosa nasce come luogo di isolamento, in cui il
monaco vive nel silenzio e nella solitudine per giungere al
più elevato grado di perfezione; le celle individuali si
affacciano sul chiostro grande e gli spazi comuni, la chiesa
conventuale, le cappelle, il refettorio permettono un
incontro tra i membri della comunità. La cella del chiostro
grande dove il monaco vive in solitudine è la casa
dell'eremita, paragonata alle casette degli anacoreti della
Tebaide da cui deriverebbe anche l'uso di
contraddistinguerla con una lettera, come ricorda anche
uno degli ultimi monaci della Certosa di Calci.

Maria Adriana Giusti e Maria Teresa Lazzarini
La Certosa di Pisa a Calci
Pisa 1995

Nella Certosa di Calci, come in tutte le certose, si trovano spazi destinati alla solitudine e spazi adibiti alla vita comunitaria. Gli ambienti per il lavoro: i granai, le cantine, il frantoio, la lavanderia, i magazzini e i depositi, in diretto rapporto con le celle dei conversi, sono amministrati dal Padre Procuratore e gestiti dai conversi. Gli altri sono gli spazi riservati ai monaci; sono pochi i luoghi comuni alle due istituzioni, anche la chiesa conventuale presenta una netta separazione fra la zona dei monaci e quella dei conversi.

Maria Adriana Giusti e Maria Teresa Lazzarini
La Certosa di Pisa a Calci
Pisa 1995

Alvaro Pirez da Evora, *Madonna col Bambino*,
Nicosia, chiesa di Sant'Agostino

Questo monastero detto pure canonica di Nicosia, in gran
fama nei tempi di mezzo, è situato alla sinistra del torrente
e a cavaliere della strada che conduce al soprastante
villaggio di Montemagno, e venne fondato nel 1258 da
Ugo da Fagiano pisano arcivescovo di Nicosia nell'isola di
Cipro. Nel declinare del secolo decimo ottavo fu dato ai
frati della riforma di san Francesco, i quali avendolo
comprato dopo l'ultima soppressione, ne sono per
conseguenza divenuti proprietari, e l'annessa chiesa di S.
Agostino venne eretta in parrocchia e sottoposta alla
battesimale di Calci.

Eugenio Boncinelli
Storia di Vico Auserissola (Vicopisano) e suo distretto
Venezia 1886

BAGNI DI SAN GIULIANO nella Valle inferiore del Serchio (Termae Pisanae). – Cotesti bagni termali hanno dato vita ad un vago paese sparso di signorili palazzi e di casini privati. Essi presero il nome da un'antica cappella esistita sul vicino Monte Pisano, dedicata a S. Giuliano, compresa però nel rovescio del monte che guarda Lucca, sebbene la cura di cotesti bagni sia dedicata ai Santi Luigi e Ranieri.

Emanuele Repetti
Dizionario Corografico della Toscana
1855

Della Condotta delle Gondole, e del Regolamento e
Prezzi delle medesime:

Il Conduttore delle Gondole, o Covertini, che per il Fosso
di Ripafratta devono andare da Pisa ai Bagni, e dai Bagni
a Pisa, avrà, ad esclusione d'ogn'altro Navicellajo, la
privativa del trasporto per detto Fosso degli Equipaggi
tutti dei Bagnanti, e Persone tutte, che per diporto, o per
bagnarsi anderanno da Pisa ai Bagni, e dai Bagni a Pisa
(…) Nell'occorrenze di gran concorso egli abbia in ordine
sopra l'istesso Fosso quel numero di Gondole, o Barche,
che possa essere sufficiente a supplire all'imbarco di tutti,
altrimenti detto Conduttore non potrà reclamare contro
altri Navicellaj.

Giovanni Bianchi
De' Bagni di Pisa
1751, capitolo VII (rist. Pisa 2001)

La pieve risale probabilmente all'VIII secolo, anche se le
prime attestazioni risalgono all'XI secolo. A pianta
basilicale scandita da pilastri e con tre absidi, l'edificio
presenta i caratteri dell'architettura dell'XI secolo (…)
Una testimonianza dell'edificio altomedievale può essere
letta nella vasca battesimale, opera di produzione
longobarda, dei secoli VII-IX.

Chiara Silla e Valentino Baldacci (a cura di)
I Luoghi della fede
1997-2000

È capoluogo di comunità e giurisdizione civile in luogo dell'antica di Ripafratta, nella diocesi e compartimento di Pisa, dalla qual città i Bagni a S. Giuliano distano 4 miglia a greco. Si trovano lungo la strada regia postale di Lucca, alla base occidentale del monte Pisano o di S. Giuliano, e segnatamente avanti un anfiteatro che formano costà le rupi del Monte detto Bianco dalla qualità delli suoi marmi.

Emanuele Repetti
Dizionario Corografico della Toscana
1855

In questa città hanno un acquedotto famoso, che consiste di cinquemila arcate, e convoglia l'acqua dalle colline a cinque miglia di distanza. Quest'acqua è considerata la migliore d'Italia, e viene portata in fiaschi a Firenze e a Livorno. La campagna circostante produce grandi quantità di grano e vino, ma quest'ultimo non è tenuto in grande considerazione. Da queste parti hanno un burro ottimo, che in Italia è un prodotto assai raro.

Thomas Nugent
in *Viaggiatori stranieri a Pisa dal '500 al '900*
Pisa 2003

il Fiume

E io: "Per mezza Toscana si spazia

Un fiumicel che nasce in Falterona

E cento miglia nol sazia

Di sovr'esso rech'io questa persona"

Dante Alighieri
Purgatorio
Canto XIV

L'Arno qui ancora ha tremiti freschi: poi lo occupa un
silenzio dei più profondi: nel canale delle colline basse e
monotone toccando le piccole città etrusche, uguale ormai
sino alle foci, lasciando i bianchi trofei di Pisa, il Duomo
prezioso traversato dalla trave colossale che chiude nella
sua nudità un così vasto soffio marino.

Dino Campana
Canti Orfici
1914

Dell'interrimento progressivo della pianura di Pisa, mediante la piccola pendenza del suo piano occidentale e la vicinanza di due sbocchi di fiumi, non lascia alcun dubbio nel principio dell'E. V. (Evo Volgare) Strabone, e nel secolo XI la fondazione del monastero di S. Rossore, oggi ridotto alla casa delle RR. Cascine vecchie di Pisa.

Emanuele Repetti
Dizionario Corografico della Toscana
1855

Infatti Strabone nella sua "Geografia storica" (lib. V), parlando della distanza di Pisa dalla Bocca d'Arno lo dichiarò di stadj olimpici 20, pari a miglia due toscane, mentre, rispetto alla fondazione del monastero di S. Rossore fatta nel 1080, si dice fondato presso il lido del mare, che ora trovasi circa tre miglia più lungi dal luogo dove fu il monastero di S. Rossore.

Emanuele Repetti
Dizionario Corografico della Toscana
1855

Sopra il nitido specchio dell'Arno, si riflette

l'immagine difforme della città che sogna:

immobil pare, e, invece, un tremolio ne sfiora

i contorni, eppur essa non muta e non svanisce,

ma intenta resta, quasi nel memore sogno

veda, risenta e accolga il palpito del mare.

Percy B. Shelley
Rime, la sera a Ponte al mare Pisa
1820

Delicatezza infinita. Le lievi falde dell'acqua si tendono a
coprire l'arena, non vi giungono, tornano indietro. Bocca
che si chiude e si schiude sorridendo non è sì dolce. La
sabbia è cosparsa di canne, di radici. I canneti
verdeggiano su le rive. Si vedono. La Melodia delle canne.

Ranieri Fiaschi
D'Annunzio e Pisa
Pisa 1968

Prendemmo così la strada che costeggia per un tratto la
riva sinistra dell'Arno. Qui il fiume, ormai prossimo alla
foce, scorre ampio e calmo tra una folta vegetazione di
canneti sulle due rive, che rustici approdi di legno tarlato,
sospesi delle palafitte, interrompono di quando in
quando.

Giuseppe Mesirca
Giuseppe Viviani, principe di Bocca d'Arno
Pisa 1980

Di là seguendo il piano capitai alla spiaggia del mar
Tirreno, d'una banda scorgendo l'Erici a man dritta,
dall'altra Livorno più vicino, castello posto nel mare. Di là
si scuoprono a chiaro l'isola Gorgona, e più oltra Capraia,
e più oltra Corsica. Diedi la volta a man manca il lungo
della ripa, fin che giunsimo a bocca d'Arno, d'un'entrata
malagevole alli navigli, attesoché di diversi fiumicelli che
concorrono all'Arno, si porta terra e fango, che si ferma e
innalza la detta bocca. Ci comprai del pesce, che mandai
poi alle donne commedianti.

Michel de Montagne, 1581
in *Viaggiatori stranieri a Pisa dal '500 al '900*
Pisa 2003

Bocca di donna mai mi fu di tanta

Soavità nell'amorosa via

(se non la tua, se non la tua, presente)

come la bocca pallida e silente

del fiumicel che nasce in Falterona (…)

Gabriele D'Annunzio
Alcyone, in *Versi d'amore e di gloria*
Milano 1985

L'altro bellissimo stradone che dalle Cascine vecchie
conduce a Pisa, incomincia dalla Via Provinciale di
Pietrasanta e termina al Ponte alle Trombe, così chiamato
perché anticamente da questo ponte i bracchieri ed i
"batteurs" preparati per la caccia nel vicino bosco,
venivano avvisati, mediante segnali di tromba,
dell'approssimarsi delle principesche brigate che da Pisa
si recavano nella splendida Tenuta.

Dario Simoni
San Rossore nella Storia
Pisa 1996

Merita certo fra queste di essere per primo ricordato il
Cammello o, per meglio dire, il Dromedario (*Camelus
Dromedarius*), inquantoché sta esso a rappresentare una
vera e propria singolarità zoologica del nostro paese,
quante volte si consideri che di tutta quanta l'Europa, se
ne togli la Spagna, è San Rossore l'unica località che offre
le condizioni di suolo e di clima atte alla vita e ad una
prospera riproduzione di questo paziente e tanto
necessario figlio del deserto.

Dario Simoni
San Rossore nella Storia
Pisa 1996

Pisa Provincia
Il fiume Morto a San Rossore

120

È su uno di questi approdi, sulla riva destra del fiume, confine con la tenuta di San Rossore, secondo quanto mi raccontò Viviani, che la defunta regina Elena, tutta vestita di bianco, sedeva per lunghe ore a pescare con la bilancia (...)

Giuseppe Mesirca
Giuseppe Viviani, principe di Bocca d'Arno
Pisa 1980

121

Non avendo questo corso d'acqua una vera e propria
sorgente che perennemente lo alimenti, esso riceve vita e
movimento dalle acque pluviali ed è opera di queste che
in certi periodi dell'anno corre gonfio e superbo al mare
(…) tanto da avere la forza di aprirsi una foce che sempre
non esiste e che di nuovo si chiuderà non appena siasi
abbassato il livello delle sue acque, le quali si faranno
necessariamente stagnanti ed il fiume allora, privo di
movimento, tornerà ad essere "morto".

Dario Simoni
San Rossore nella Storia
Pisa 1996

Taci. Su le soglie
del bosco non odo
parole che dici
umane, ma odo
parole più nuove
che parlano gocciole e foglie
lontane.
Ascolta. Piove
dalle nuvole sparse.
Piove sulle tamerici
salmastre ed arse,
piove su i pini
scagliosi e irti
piove sui mirti
divini, (…)

Gabriele D'Annunzio
La pioggia nel pineto, in *Alcyone*
in *Versi d'amore e di gloria*
Milano 1984

Seguitando la gita, dopo avere attraversato il Prato, per la
Macchia di San Rossore, che è ripiena di Querci, Lecci e
Macchie foltissime; un miglio distante dal Mare s'incontra
una Boscaglia di Pini domestici, che continua fino al
confine. Dal Fortino disopra nominato si può seguitare
lungo il lido del Mare fino a Bocca di Serchio, sopra gli
argini del quale cammin facendo si arriva alla Torretta,
che forma la traversa della strada maestra.

Giovanni Menabuoni
Atti della Real Società de' Georgofili,
Storia naturale delle adiacenze di Pisa
Firenze 1796

Delicatezza infinita. Le lievi falde dell'acqua si tendono a coprire l'arena, non vi giungono, tornano indietro. Bocca che si chiude e si schiude sorridendo non è sì dolce. La sabbia è cosparsa di canne, di radici. I canneti verdeggiano su le rive. Si vedono. La Melodia delle canne.

Ranieri Fiaschi
D'Annunzio e Pisa
Pisa 1968

Our boat is asleep on Serchio's stream,

Its sails are folded like toughts in a dream,

The helm sways idly, ither and thither;

Dominic, the boatman, has brought the mast,

And the oars and the sails; but 'tis sleeping fast (…)

Percy Bhisse Shelley
The boat on the Serchio, in *Shelley and Byron in Pisa*
Torino 1961

Il risorgere e l'espandersi di Pisa rivela caratteri antichi,
quasi preistorici; per esempio, quello del traffico che parte
da una base angusta e poi si espande libero, affidato solo a
se stesso e volto ad un mondo concepito come un tutto
unico, non ancora accettato come limite, come condizione
(…) Antico è soprattutto il concetto di dominio del mare
conquistato e tenuto partendo da una angusta spiaggia, da
una Tiro, una Sidone, una Focea, una Atene, una Crosso,
una Cartagine.

Rudolf Borchardt
Pisa, solitudine di un impero
Pisa 1977

il Mare

la Valle, il Monte, il Fiume

Sullo slancio del ritrovamento, fortunato e meritorio insieme, del porto di Pisa-San Rossore e di altri importanti ritrovamenti archeologici, il rapporto stretto tra la storia di Pisa e il mare si è riproposto come fondamentale per secoli, anzi per millenni, nella caratterizzazione della storia della città toscana. Gli studi più recenti sono ormai concordi sulla centralità di questo tema. Ma questo rapporto, oggi divenuto labile e pallido, sfugge ai visitatori (almeno quelli meno attenti e più fuggevoli) come sostanzialmente sfugge agli stessi pisani.

Marco Tangheroni
Pisa e il Mediterraneo
Milano 2003

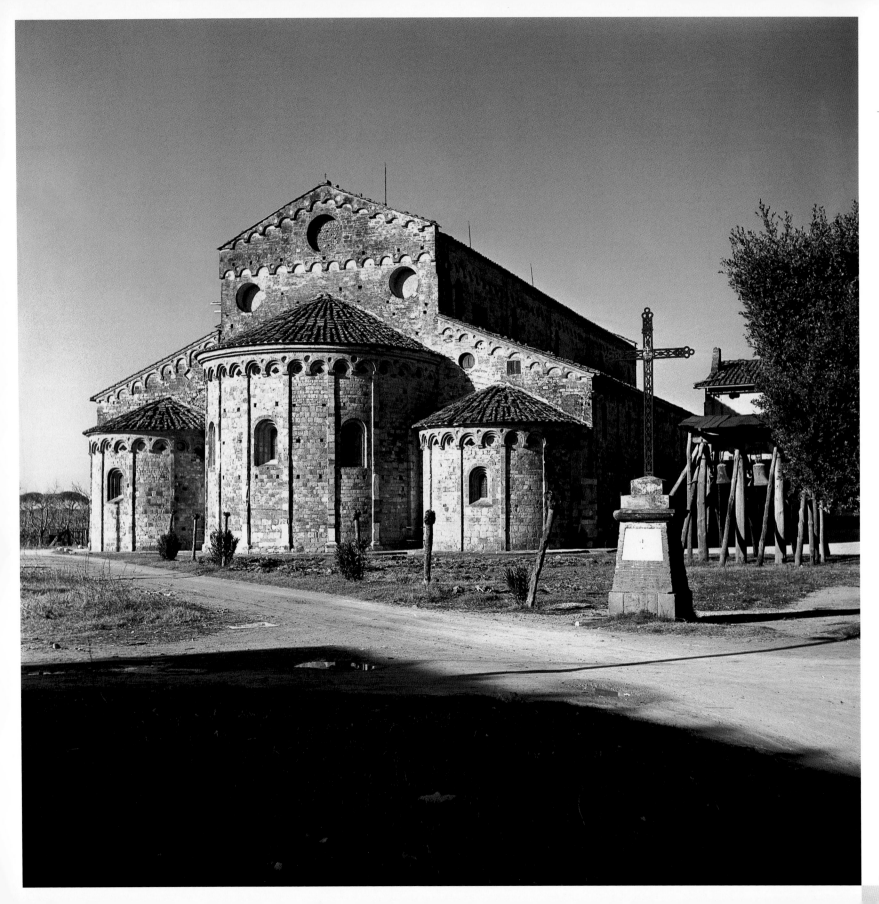

S. Piero in Grado

Per dover noi favellare di questo antichissimo tempio ci siam fatti premura di consultare più e diverse carte degli Storici pisani (…) Ma per non esser gravi ai reggitori, ed altresì per non trascurar cosa alcuna, (…) indichiamo che S. Pietro venendo dalla Città di Antiochia in Italia ed approdando al toscano lido nel luogo detto "a Grado, o ad Gradus Arnensis" perché ivi discendeasi dal naviglio sopra alcuni gradini bagnati dall'onde, lo giudicò atto a edificarvi il primo Altare, ed a erigervi provvisionalmente una Chiesa.

Alessandro Da Morrona
Pisa illustrata nelle arti del disegno
III, Livorno 1812

L'architettura interna di esso fa piacere e sorpresa. Due file di colonne corinzie isolate, e lisce, se una scannellata se ne accettua, dividono tre navate di una considerevol lunghezza, e di una larghezza proporzionata. Or l'osservazione pittoresca richiamandoci all'antico, disamineremo cogli studiosi di tal genere quegli avanzi delle pitture a fresco, le quali in tre ordini divise già ricoprirono le tribune imbiancate di fresco e le mura laterali dal colmo delle arcate fino al tetto. Nel primo ordine effigiati sono i Pontefici fino a Giovanni XIV, come asseriscono i cronistj. Ciascuno di essi è sotto un tabernacolo sorretto da colonnette aggruppate.

Alessandro Da Morrona
Pisa illustrata nelle arti del disegno
III, Livorno 1812

Scompartiti nel second'ordine son tutti quadri grandi ove si scorgono tuttora varie storie appartenenti a S. Pietro, ed altre a S. Paolo. (…) Consiste il terzo ordine in tante finestre aperte con archi tondi, ed in ciascuna di esse uno dei componenti le celesti Gerarchie si affaccia.

Alessandro Da Morrona
Pisa illustrata nelle arti del disegno
III, Livorno 1812

O MARINA DI PISA
QUANDO FOLGORA
IL SOLLEONE!

IN QUESTO PAESE DI SABBIA E DI RAGIA..
GABRIELE D'ANNUNZIO
TROVÒ SERENITÀ DI RIPOSO
E ISPIRAZIONE DI CANTI IMMORTALI

12 MARZO 1863 — 1963

IL COMUNE DI PISA

142

Nel 1904, il ritiro marinese che D'Annunzio sceglie per stendere "La nave" viene salutato dalla stampa locale con toni da ente del turismo. Tutti conoscono la cronaca rosa dei ripetuti soggiorni (e amori) marinesi del Vate, nella casa della Dogana, nella villa dei marchesi Guadagni, nella "casa rossa" di Mary Peratoner, nella villa Fenzi, nella pensione "La Perla" e nella locanda di Vittorio Ascani, con la Duse o con la Nike (Alessandra Di Rudinì).

Alessandro Tosi
Memoria del Novecento
Pisa 2001

143

Allo stesso anno (1870, NdC) risale la concessione d'un primo stabilimento balneare sulla parte sinistra di Bocca d'Arno, dopo che nel 1860 il Re aveva fatto chiudere quello del Gombo esistente almeno dal 1838 e utilizzato anche dall'ospedale. Questa concessione costituisce l'antefatto immediato della fondazione di Marina di Pisa, dove si cominciò a costruire nel 1874 secondo un Piano Regolatore approvato dalla Giunta municipale il 9 marzo 1872 (prima c'era un fortino, la dogana e una decina di case coloniche).

Emilio Tolaini
Forma Pisarum
Pisa 1992

Alla sera, sulla terrazza a mare del Ceccherjni, al
«Gorgona», al caffè Colombo, all'albergo Ascani, la
minuscola colonia villeggiante, dimenticando quella
stupida etichetta che molto spesso condiziona la vita nelle
stazioni termali alla moda, in serenità ed assoluta libertà si
diverte un mondo. Il cronista, meticolosamente,
quotidianamente aggiorna la lista dei fortunati villeggianti
a Boccadarno, segnalando di volta in volta gli arrivi del
professor D'Ancona, dell'avvocato Severi, dell'albergatore
Domenico Piegaia, del tenente Silvatici, degli avvocati
Casoni e Feroci, dell'architetto Baronchelli, del dottor
Simoni, dei signori Supino con le cognate Nunes (…)

Pierluigi Berteli
L'incanto di Boccadarno: Marina di Pisa 1759-1944
Pisa 1995

Dalla terrazza del Golf Hotel si ammira in tutta la sua estensione la pineta a piena vista, come un mare verde ondulato in contrasto con il blù del mare Tirreno increspato dalle onde. Solo qua e là si può vedere l'angolo di un tetto o un camino, poiché la pineta tutto avvolge. Qui si gode la vista di una natura romantica.

Hans Bauer
Un luogo di nome Tirrenia
Premio Rustichello 1968
Pisa 1970

A sud di questa e di San Rossore, troviamo la cortina edilizia di Marina di Pisa, le lottizzazioni a tappeto eseguite dall'ente Tirrenia, che da oltre trent'anni amministra e distrugge circa milleottocento ettari di pineta (quindici ettari gli sono stati recentemente sacrificati dal piano regolatore di Pisa, allo scopo di creare con risibile neologismo urbanistico, nuovo "verde a ville"!), la base logistica americana (millequattrocento ettari), eccetera: ovunque la pineta è stata intaccata, danneggiata, distrutta, sempre privatizzata e comunque preclusa la pubblico; dovunque è stata troncata la continuità tra mare e entroterra.

Antonio Cederna
I congiurati della pineta
Premio Rustichello 1966
Pisa 1970

Il trionfo del verde e del pino: questo il campo di golf di
Tirrenia per chi inizia il percorso delle "buche" che
sembrano affogate, quasi "scavate" in un mare di alberi.
Solo sorvolando il campo – novanta ettari circa – si può
avere una panoramica completa delle buche che,
particolarmente dall'alto, appaiono come "calette marine"
il cui fondo, con il Tirreno che lambisce il campo, assume
toni più vari.

Chi siamo
"Il Tirreno", s.d.

La storia di Tirrenia, nel suo ultimo sviluppo, è legata strettamente alla vita della propria chiesa, che poi diventerà parrocchia. Infatti, nel 1948 e precisamente il 18 luglio, la comunità dei frati francescani minori conventuali iniziò l'assistenza religiosa ai 300-400 abitanti della Tirrenia di allora. In quella data, grazie alla solerzia di padre Piero d'Ulivo, incaricato dal padre provinciale, padre Bernardino Farnetani, e di un gruppo di altri religiosi dell'Ordine, si completò la costruzione di una cappella. Il 20 luglio mons. Ugo Camozzo, arcivescovo di Pisa, benediva il sacro edificio.

Chi siamo
"Il Tirreno", s.d.

il **Mare.** Tirrenia
Bagno Maddalena

Viaggiare è la soglia dell'uomo, soglia di alto rango,
tesoro di abbondanza, maestro di tutte le arti.
Non vale nulla chi è attaccato alla propria casa:
le pietre preziose sono senza valore nella miniera.

Franco Paloscia
Da Itaca alla Luna
Livorno 2001

Finito di stampare nel mese di Giugno 2005
presso le Industrie Grafiche della Pacini Editore S.p.A.
Via A. Gherardesca • 56121 Ospedaletto • Pisa
Telefono 050 313011 • Telefax 050 3130300
Internet: http://www.pacinieditore.it